I Becca a'r babi newydd

Ewch i wefan Catherine a Laurence Anholt
www.anholt.co.uk

Cyhoeddwyd gan RILY Publications Ltd,
Blwch Post 20, Hengoed CF82 7YR

Addasiad Cymraeg gan Mererid Hopwood
ISBN 978-184967-1101

Cyhoeddwyd yn wreiddiol yn Saesneg fel *Babies, Babies, Babies* gan Orchard Books, argraffnod o Hachette Children's Books, un o gwmnïau Hachette UK

Dymuna'r cyhoeddwyr gydnabod cymorth Cyngor Llyfrau Cymru

Babis, Babis, Babis!

Babies, Babies, Babies!

Catherine a Laurence Anholt

Addasiad Mererid Hopwood

rily.co.uk

Dyma'r babis . . .

Babi del, babi hyfryd, babi prysur, babi cysglyd,

babi swnllyd, babi taclus, babi drewllyd, babi hapus.

Allwch chi ddod o hyd i'r babi bwni
bach sy'n cuddio yn y llyfr?

Mae babis wrth eu bodd â BWYD

Ffa,

bara,

bananas iach,

salad,

sbageti,

cwrens bach,

ceirios,

siocled,

caws mawr melyn,

pasta,

crempog,

pys i bobun,

pysgod,
ffrwythau,
sglodion,

pizza,
tatws,
pastai eidion,

radis,
riwbob,
reis,

sbigoglys,
selsig,
sbeis.

Mae babis wrth eu bodd â LLIWIAU

Car glas sy'n hedfan,

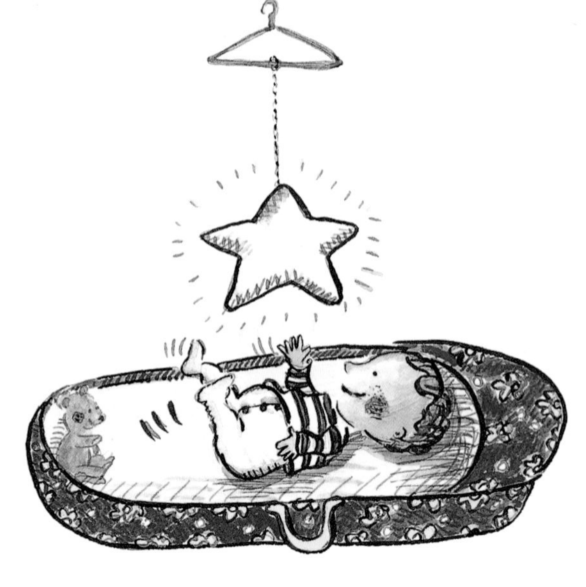

seren sgleiniog, arian,

parot gwyrdd, swnllyd,

a moron oren hefyd,

rhosyn pinc i ti,

trwyn coch y clown a'r ci,

haul melyn, mawr,

ac enfys sy'n
cyffwrdd y llawr!

Mae babis wrth eu bodd ag ANIFEILIAID

Cyfarth y cŵn,
(BOW-OW!)

tylluanod yn cadw sŵn,
(TW-IT-TW-HW!)

llew yn rhuo'n
uchel, **(Rhu-ooo!)**

eirth yn chwyrnu'n
dawel, **(Rhoooch!)**

mochyn eisiau bwyd,
(soch soch!)

llygoden fechan, lwyd,
(gwich gwich!)

cath i gadw cwmni,
(MI-AW!)

ceffyl yn pori,
(GWEEE-RYRU!)

mwnci drygionus,
(**w-w-w!**)

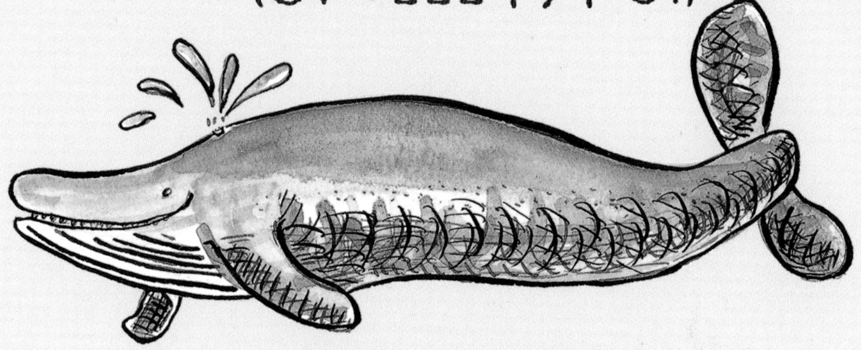

morfil brawychus,
(sblash!)

eliffantod hapus,
(**TW-TWT!**)

drewgwn anffodus,
(YCH-A-FI!)

gardd hardd
a gwenynen, (bssss!)

cwningen fach mewn coeden.
(Sshh!)

Mae babis wrth eu bodd â DILLAD

Dillad babi
yn dwt mewn rhesi.

Sgarff, hosanau, siwtiau clyd,

bibiau, rubanau, esgidiau drud,

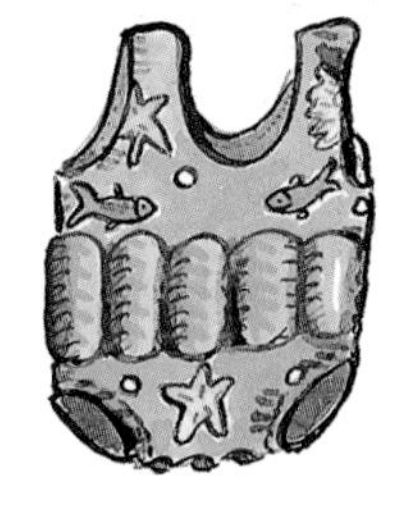

gwisg nofio,

siwmper,

sgert tywysoges,

esgidiau bach,

trywsus byr,

crys cynnes.

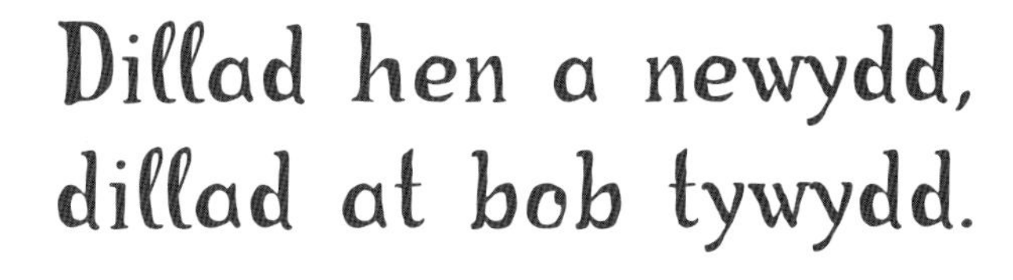

Dillad hen a newydd,
dillad at bob tywydd.

Mae babis wrth eu bodd ar LAN Y MÔR

Barcud uwchben,

adar yn y nen,

bat a phêl i fi,

het fach ddel i ti,

gwely'n arnofio,

teithio mewn
cwch rhwyfo,

bwced a rhaw,

picnic cyn daw'r glaw!

Mae babis wrth eu bodd â MAM a DAD syn'n

darllen, bwydo,

chwarae a chrwydro,

magu, canu,

molchi, eillio,

cerdded, sgwrsio,

trwsio, coginio,

rhannu, caru,

gwarchod a gwylio.

Mae babis wrth eu bodd yn MYND YN GYFLYM

Byddwch yn barod ac EWCH ar eich hynt!
drwy'r eira a'r glaw a'r gwynt

mewn cwch,

car heddlu,

neu mewn pram

mewn tacsi,

bad,

a thram,

mewn lorri,

tractor,

neu drên ar ras,

ar fws,

mewn cert,

neu graen
drwy'r awyr las,

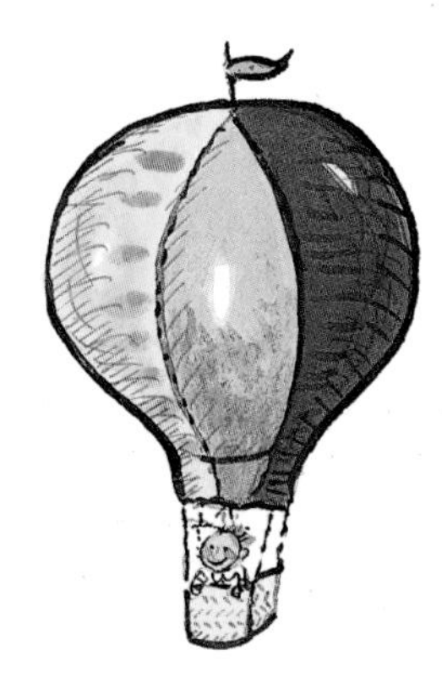

mewn coets,

ar fws
coch deulawr,

neu mewn
balŵn.

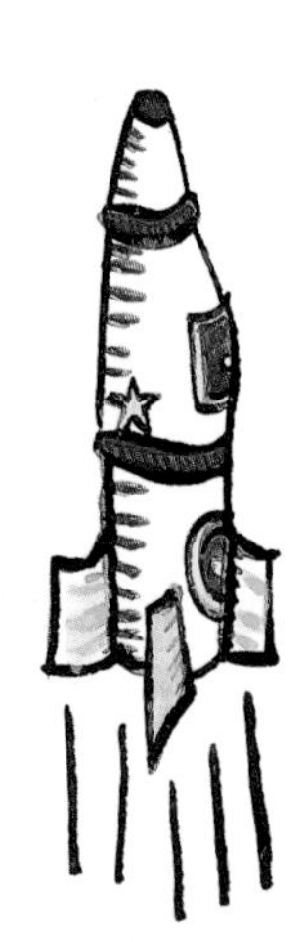

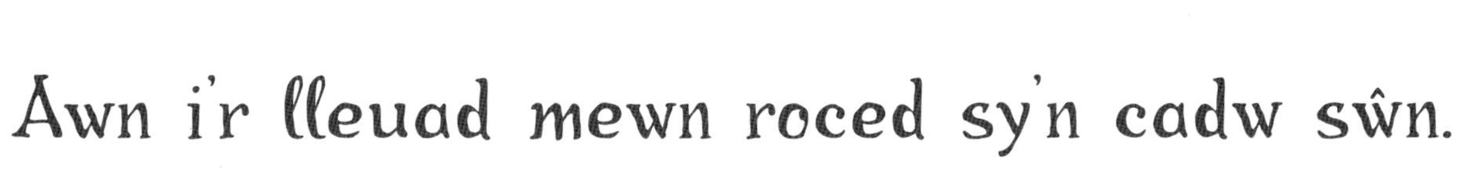

Awn i'r lleuad mewn roced sy'n cadw sŵn.

Mae babis wrth eu bodd yn CHWARAE

BWRW sosbenni
â phrennau,

adeiladu â chlai
neu friciau,

doli glwt a'i thrwyn
bach smwt,

cuddio dan y bwrdd
mewn tŷ bach twt,

creu sblash
gyda chychod,

gwneud cân actol
mewn eisteddfod,

tynnu llun yn
lliwiau i gyd,

dyma'r deinosor
sy'n bwyta dim byd,

rhedeg ar sgwter
lan a lawr,

canu corn a chreu
SŴN MAWR

gwneud bwyd blasus,
paratoi teisen,

ond y gorau i gyd
yw chwarae darllen!

Mae babis wrth eu bodd â PHETHAU NEWYDD

Babi'n dysgu beth
yw camau,

babi'n dysgu beth
yw geiriau,

babi'n dysgu beth
yw synau,

babi'n dysgu sut
mae chwarae,

babi'n gweld bod
dannedd yn wyn,

babi'n cysgu,
cau llygaid yn dynn,

babi'n eistedd mewn
sedd ar y llawr,

babi'n tyfu'n
blentyn mawr!

Mae babis wrth eu bodd yn CHWERTHIN

rholio ar y llawr

Goglais,

dawnsio,

nofio,

gweiddi â
llais mawr,

canu,

curo dwylo,

cuddio – un~dau~tri,

o fabi bach, fe'th garaf di!

Mae babis wrth eu bodd ag AMSER GWELY

I'r cae nos,

mae'n amser baddon,

molchi yn y swigod sebon

brwsio dannedd

yn lân, lân,

caru clywed suo-gân.

Nawr mae'r diwrnod bron â gorffen,
ac mae'r llyfrau wedi'u darllen,

teulu cyfan wedi blino,
cyn bo hir daw'r bore eto.

Diffodd y golau, tawelwch ym mhobman,
dweud NOS DA a rhannu cusan.
Cysga'n dawel, babi bwni bach!